꼬부랑 옛날 옛적에

전래 동화

삼성출판사
samsungbooks.com

차례

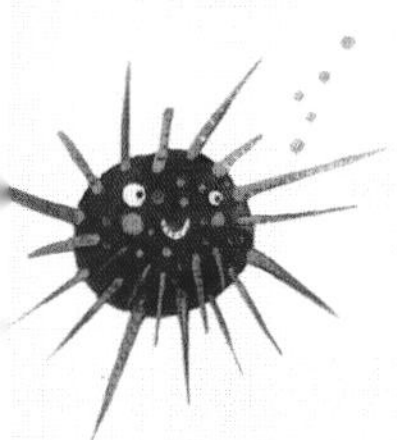

해님 달님

옛날에 엄마와 오누이가 살았어요. 하루는 엄마가 잔칫집 일을 하러 가게 되었어요.

"얘들아, 엄마가 잔칫집 가서 맛난 것 싸 올 테니, 집 잘 보고 있어라."

일을 마친 엄마가 떡을 이고 집에 가는데, 갑자기 호랑이 한 마리가 나타났어요.

"어흥! 떡 하나 주면 안 잡아먹지!"

엄마는 얼른 떡을 꺼내 호랑이에게 주었어요. 호랑이는 떡을 날름 받아먹고는 엄마까지 잡아먹었어요. 그러고는 엄마 옷을 입고 오누이가 있는 집을 찾아가 말했어요.

"얘들아, 엄마 왔다!"

방 안에 있던 오누이는 엄마 목소리가 이상해서 문 사이로 슬쩍 밖을 보았어요.

그런데 글쎄 커다란 호랑이가 엄마 옷을 입고 서 있지 뭐예요?

"얼른 우물 옆 나무 위에 숨자!"

아이들이 보이지 않자,

이리저리 찾던 호랑이는 우물에 비친 오누이를 보았어요.

"얘들아, 거기 어떻게 들어갔니?"

그러자 동생이 깔깔 웃었어요. 그 바람에 나뭇잎이 떨어지고 말았지요.

"옳지! 나무에 올라갔구나!"

호랑이는 나무 위에 올라가려 했으나 쉽지 않았어요.

"손에 참기름을 바르고 올라오면 쉽지!"

그 말에 속은 호랑이가 참기름을 바르고 올라가자, 자꾸만 미끄덩 쿵, 미끄덩 쿵!

"하하하! 도끼로 찍고 올라오면 되는데!"

보다 못한 동생이 그만 웃으며 말해 버렸어요.

호랑이는 도끼를 찾아 쿵쿵 찍으며 올라왔어요.

오누이는 무서워 눈을 꼭 감고 하늘에 빌었어요.

"하느님, 동아줄을 내려 주세요."

그러자 하늘에서 동아줄이 내려왔고, 오누이는 동아줄을 타고 하늘로 올라갔어요.

이를 본 호랑이도 하늘에 동아줄을 내려 달라고 빌었어요.
그런데 이번에는 썩은 동아줄이 내려왔지 뭐예요.
신나게 줄을 타고 올라가던 호랑이는 중간에 줄이 툭 끊어져 땅에 떨어져 버렸지요.
이렇게 해서 하늘나라에 올라간 부끄럼쟁이 동생은 해님이,
씩씩한 오빠는 달님이 되었답니다.

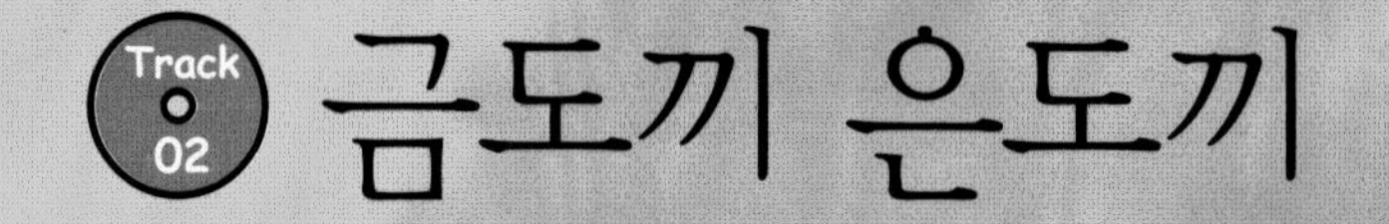

금도끼 은도끼

옛날에 마음씨 착한 나무꾼이 나무를 하고 있었어요.

그런데 갑자기 손이 미끄러지면서 그만 도끼가 연못에 풍덩 빠지고 말았어요.

"아이고, 하나밖에 없는 도끼가 물에 빠졌으니 이를 어쩌나."

그때였어요. 연못 안에서 휘황찬란한 빛이 나더니,

산신령이 나타났어요.

"이 도끼가 네 것이냐?"

나무꾼이 자세히 보니, 그것은 번쩍번쩍 빛나는 금도끼였어요.

"제 도끼가 아닙니다."

"그럼 이 도끼가 네 것이냐?"

이번에는 반짝반짝 윤이 나는 은도끼였어요.

"그것도 아닙니다. 제 도끼는 낡은 쇠도끼입니다."

"허허! 참으로 정직한 청년이구나. 상으로 이 도끼들을 모두 주마."

정직한 나무꾼은 금도끼와 은도끼, 자신의 낡은 도끼까지 모두 받아 돌아왔어요.

이 소식을 들은 이웃집 욕심쟁이 나무꾼은 당장 연못으로 달려가

자신의 쇠도끼를 던졌어요.

그러자 연못 안에서 빛이 나더니, 산신령이 도끼를 들고 나타났어요.

"이 도끼가 네 것이냐?"

산신령이 들고 있는 도끼는 번쩍번쩍한 금도끼였어요.

"예! 제 도끼입니다!"

그러자 산신령은 은도끼를 들고 물었어요.

"이 도끼도 네 것이냐?"

"예, 예! 그것도 제 도끼입죠!"

"이런 고얀 녀석을 보았나! 남의 도끼를 탐내다니! 너 같은 욕심쟁이에게는

도끼를 하나도 줄 수 없다!"

욕심쟁이 나무꾼은 결국 자신의 도끼만 잃고 빈손으로 집에 돌아갔답니다.

Track 03 팥죽 할머니와 호랑이

옛날, 옛날 팥죽을 아주 맛있게 잘 쑤는 할머니가 팥 밭을 매고 있는데,
글쎄 호랑이 한 마리가 떡 나타났네.
"내가 배가 고프니 할멈을 잡아먹어야겠어!"
할머니는 무서워 온몸이 벌벌 떨렸어.
"호랑이야, 올겨울에 동지 팥죽 한 번만 쑤면 안 되겠느냐?"
그러자 호랑이는 팥죽을 먹고 싶은 생각에 아쉬운 듯 입맛을 쩝쩝 다시며 물러났지.
어느덧 동지 전날, 할머니가 팥죽을 저으며 한숨을 푹 쉬는데, 자라가 기어와 묻네.
"할멈, 왜 그리 한숨을 쉬어?"
"내일이면 내가 호랑이 밥이 된단다. 어찌하면 좋겠니?"
"할멈, 나 팥죽 한 그릇 줘. 내가 호랑이를 쫓아 줄게."
자라에게 한 그릇 가득 퍼 주고는 한숨을 또 쉬는데, 알밤이 또르르 굴러와 물었어.
"할멈, 왜 그리 한숨이야?"
"내일이면 호랑이 밥이 되니, 그게 슬퍼 한숨을 쉰단다."
"팥죽 한 그릇 주면 내가 호랑이를 쫓아 줄게."
이렇게 쇠똥, 맷돌, 지게, 멍석까지 팥죽을 얻어먹고는 자라는 물독 속으로 퐁당,
알밤은 아궁이 속에, 쇠똥은 부엌 바닥에, 맷돌은 부엌문 선반 위에 앉았어.

멍석은 부엌 앞에 넙죽 엎드리고, 지게는 마당 한구석에 기대 서 있었지.
동짓날 밤이 되자, 호랑이가 할머니 집 마당에 어슬렁어슬렁 들어섰어.
"할멈, 내가 왔어! 약속은 잊지 않았지?"
"오냐, 부엌 아궁이에 동지 팥죽을 두었으니 가져다가 먹어라."
호랑이가 아궁이 속을 들여다보는데, 알밤이 톡 튀어나와 호랑이 눈을 딱 때렸어.
호랑이는 앞이 안 보여 더듬거리다 물독에 손을 넣었는데, 자라가 손을 꽉 물었어.
깜짝 놀란 호랑이가 뒷걸음을 치다 그만 쇠똥을 밟고 미끄러졌지 뭐야.
엉덩방아를 찧은 호랑이가 부엌문을 나가려는데, 맷돌이 머리 위로 쿵 떨어졌어.
"어이쿠! 어흥! 호랑이 살려!"
호랑이는 정신을 잃고 기어 나오다 멍석 위로 넘어졌어. 멍석이 호랑이를 둘둘 말자
지게가 척 짊어지고는 성큼성큼 달려가서 강물에 호랑이를 집어던졌지.
그 후로 할머니는 해마다 동짓날에는 팥죽을 쑤어
고마운 친구들과 나눠 먹는단다.

방귀 시합

어느 마을에 방귀를 잘 뀌는 방귀쟁이 총각이 살고 있었어요.

하루는 자신의 방귀 실력을 뽐내고 싶어서 이웃 마을 방귀쟁이 아줌마를 찾아갔어요.

그런데 아줌마는 없고, 아이 혼자 부엌에서 놀고 있지 뭐예요?

“애, 너희 엄마 어디 갔니? 엄마랑 방귀 시합하려고 왔는데.”

“흥! 우리 엄마는 방귀 대장이라 아저씨가 질 걸요? 그냥 돌아가세요.”

그 말에 화가 난 총각이 방귀를 뿡 뀌자, 아이는 굴뚝 안으로 쏙 들어가 버렸어요.

숯검정이 잔뜩 묻은 아이를 본 방귀쟁이 아줌마는 화가 나서 총각을 찾아갔어요.

“어디, 누구 방귀가 더 센지 내기 한번 합시다!”

먼저 방귀쟁이 총각이 방귀를 뀌었어요.

뽀오옹!

그러자 땅이 흔들흔들, 집들이 들썩들썩!

이번에는 방귀쟁이 아줌마가 방귀를 뀌었어요.

뿌우웅!

그러자 나무가 휘청휘청, 강물이 출렁출렁!

방귀 대결로는 승부가 나지 않자, 이번에는 빨랫방망이 날리기 시합을 했어요.

이쪽에서 뽕, 하니 방망이가 저쪽으로 휘익!

저쪽에서 뿌붕, 하니 방망이가 이쪽으로 휘익!

엎치락뒤치락하던 두 사람은 마지막으로 힘껏 방귀를 뀌었어요.

빠방빵!

뿌붕뿡!

그러자 방망이는 휘익 날아가 바닷속으로 뚝 떨어졌어요.

날아온 방망이에 맞은 새우 등이 휙 굽고, 가자미 눈이 한쪽으로 쏠렸지요.

그래서 새우는 등이 굽고, 가자미 눈은 한쪽으로 몰려 있는 것이랍니다.

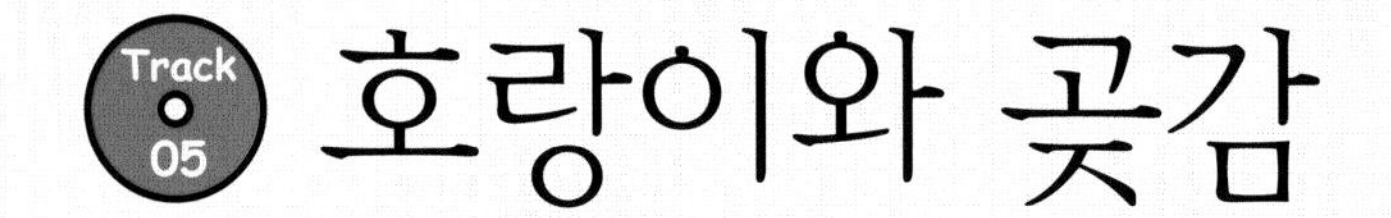

흰 눈이 내리는 어느 겨울날, 호랑이 한 마리가 어슬렁어슬렁 마을로 내려왔어요.

"아, 배고파. 어디 뭐 먹을 것 없나?"

그때 어디선가 응애, 응애 하는 아기 울음소리가 들려왔어요.

호랑이는 슬금슬금 집 앞으로 다가갔어요.

"아가, 뚝 그치자! 지금 밖에 무서운 호랑이가 와 있어.
뚝 안 그치면 호랑이가 어흥! 하고 물어 간다!"

'아니, 내가 온 걸 어떻게 알았지?'

엄마의 말을 듣고도 아기는 계속 울어 댔어요.

'저 녀석은 나처럼 무서운 호랑이도 안 무서워하네?'

그때 엄마가 아기에게 말했어요.

"아가, 자! 곶감이다, 곶감!"

그 말에 아기는 울음을 뚝 그쳤어요.

'응? 곶감이라는 놈이 나보다 더 무섭단 말이야?'

그때 문이 삐걱 열리자, 호랑이는 깜짝 놀라 후다닥 외양간으로 들어갔어요.

어두운 외양간에 숨어 있는데, 갑자기 무언가가 호랑이 등에 휙 올라탔어요.

'어이쿠! 곶감이 내 등에 올라탔나 보다!'

호랑이는 너무 무서워 펄쩍펄쩍 뛰며 도망갔어요.

호랑이 등에 탄 것은 사실 소를 훔치러 집 안으로 들어온 소도둑이었어요.

환한 달빛 아래로 나오자, 소도둑은 깜짝 놀랐어요.

'아니, 이건 소가 아니라 호랑이잖아!'

소도둑은 벌벌 떨며 호랑이 등을 꽉 붙잡고 있다가,

길가의 커다란 나무를 보고는 훽 뛰어 나뭇가지에 매달렸어요.

'후유, 하마터면 호랑이 밥이 될 뻔했네.'

소도둑이 등에서 떨어지자, 호랑이는 더욱 빨리 달아나면서 생각했어요.

'후유, 하마터면 곶감한테 잡아먹힐 뻔했네!'

옛날에 마음씨 착하고 예쁜 콩쥐라는 여자아이가 살았어요.
엄마가 돌아가시자 콩쥐는 새엄마를 맞게 되었는데, 동생 팥쥐도 함께 데려왔어요.
새엄마는 팥쥐는 매우 귀여워했지만, 콩쥐에게는 힘든 일만 시켰어요.
"콩쥐는 이 나무 호미로 돌밭을 갈고, 팥쥐는 쇠 호미로 모래밭을 갈아라!"
팥쥐는 금세 밭을 갈았지만, 돌밭에서 일하던 콩쥐는 호미를 부러뜨리고 말았어요.
그때, 황소 한 마리가 나타나 콩쥐에게 말했어요.
"음매! 착한 콩쥐 아가씨, 걱정 말아요. 제가 밭을 갈아 드릴게요."
황소가 눈 깜짝할 사이에 넓은 밭을 모두 갈아 콩쥐는 집에 돌아올 수 있었어요.
어느 날 새엄마는 팥쥐와 마을 잔치에 놀러 가며 콩쥐에게 말했어요.
"넌 항아리에 물 채우고, 벼 찧고, 베도 다 짜 놓고 잔치에 오너라."
새엄마가 준 항아리는 바닥에 구멍이
나 있어 물이 채워지지 않았어요.
그때 두꺼비가 나타나 말했어요.
"아가씨, 제가 항아리 안에 들어가
구멍을 막을게요."

항아리에 물을 다 채운 콩쥐가 벼를 찧으려 하자,

참새들이 날아왔어요.

"짹짹! 콩쥐 아가씨, 우리가 벼를 모두 찧어 드릴게요."

참새들이 벼를 모두 찧자, 이번에는 하늘에서

선녀가 내려와 콩쥐에게 말했어요.

"콩쥐야, 내가 베를 짤 테니 이 옷을 입고

잔치에 다녀오너라."

선녀는 콩쥐에게 예쁜 옷을 입히고, 꽃신을 주었어요.

서둘러 잔치에 달려가던 콩쥐는 꽃신 한 짝을

강물에 빠뜨리고 말았어요.

때마침 지나가던 원님이 강물에 떠 있는 꽃신을 보고는 말했어요.

"저 꽃신의 주인을 내 아내로 맞이할 것이다."

모든 여인들과 팥쥐까지 꽃신을 신어 보았지만

아무도 맞지 않았어요.

그때 콩쥐가 수줍게 나와 꽃신을 신어 보니

꼭 맞았어요.

"꽃신 주인을 찾았다! 원님의 아내가 되실 것이다!"

콩쥐는 원님의 아내가 되어 오래오래 행복하게

살았답니다.

Track 07

임금님 귀는 당나귀 귀

옛날에 한 임금님이 살았는데, 글쎄 임금님 귀가 날마다 쑥쑥 자라지 뭐야.
임금님은 자나 깨나 걱정이었지. 그러다 하루는 모자 만드는 할아버지를 불렀어.
"귀를 감출 수 있는 커다란 모자를 만들어 주게.
단, 아무에게도 내 귀가 크다고 말하면 안 되네."
임금님 귀가 날마다 쑥쑥 자라니까, 모자도 점점 더 커졌지.
신하들이 이상하게 생각했지만, 할아버지는 벌 받을까 두려워 아무 말도 못 했어.
답답해진 할아버지는 속병이 났어.
결국 할아버지는 대나무 숲을 지나다가 그만 못 참고 소리를 질렀지.
"임금님 귀는 당나귀 귀다!"
그 뒤로 바람이 불면 대나무 숲에서 이상한 소리가 울려 나오는 거야.
"임금님 귀는 당나귀 귀다!"
화가 난 임금님은 대나무를 베고 그 자리에 산수유를 심었어.
그 뒤로는 바람이 불면 이런 소리가 났단다.
"임금님 귀는 길기도 하다!"

까치의 재판

참새 한 마리가 파리를 잡아먹으려 하자, 파리가 물었어요.

"왜 아무 잘못도 없는 나를 잡아먹으려는 거니?"

"너는 지저분한 곳만 찾아가 날아다니다가 사람들에게 나쁜 병을 옮기잖아!"

"너는 어떻고? 힘들게 농사지은 곡식을 콕콕 쪼아 먹잖아. 그건 잘한 거야?"

둘은 서로 나쁘다고 말다툼을 했어요.

그러다가 결국 누가 더 큰 잘못을 했는지 재판관인 까치에게 물어보기로 했어요.

"파리는 음식을 몰래 먹지만 양이 적고, 큰 병은 안 옮겨. 하지만 참새는 곡식이 익기 전에 쪼아 먹어 농사를 망치고, 죄 없는 벌레를 잡아먹으니 더 나빠."

까치는 참새의 다리를 회초리로 때렸어요.

그 후로 참새는 맞은 다리가 아파서 총총거리며 뛰어다니고, 파리는 까치에게 고마운 마음에 앞다리가 닳도록 비벼 댄답니다.

Track 09

흥부 놀부

옛날에 욕심쟁이 형 놀부와 착한 동생 흥부가 살았어요.

아버지가 돌아가시자, 놀부는 재산을 모두 차지하고 동생 흥부를 내쫓았어요.

"형님, 저 흥부입니다. 자식들이 배고파 우니 먹을 것 좀 꾸어 주십시오."

그러자 놀부 아내가 밥주걱을 가지고 나와 흥부 뺨을 찰싹 때리며 말했어요.

"흥! 우리 먹을 것도 없는데, 줄 것이 어디 있어요?"

흥부는 뺨에 붙은 밥풀을 떼어 먹으며 터덜터덜 집으로 돌아왔지요.

하루는 흥부네 처마에 있던 제비 집에 구렁이가 혀를 날름날름하며 다가왔어요.

이를 본 흥부가 막대기로 구렁이를 쳐 냈지만, 제비 다리가 부러지고 말았어요.

"이런, 불쌍해라. 얼른 고쳐 주마."

흥부는 붕대로 제비 다리를 잘 매 주었어요.

이듬해 봄, 제비가 박씨를 물어다 주자 흥부는 지붕 위에 박씨를 심었어요. 가을이 되자, 지붕 위에 박이 주렁주렁 열렸어요.

흥부네 식구는 톱을 빌려서 박을 타기 시작했어요.

"슬근슬근, 슬근슬근. 박타서 맛있게 먹어 보세."

그때 박이 쩍 갈라지면서 속에서 금은보화가 쏟아져 나왔어요.

"아니, 이게 웬일인가! 아이고! 경사 났네, 경사 났어!"

한편 흥부가 큰 부자가 된 사연을 듣게 된 놀부는 당장 제비를 잡아다
다리를 부러뜨리고는 다시 고쳐 주었어요.

이듬해 제비가 박씨를 물어다 주자 놀부는 싱글벙글 웃으며 지붕에 심었어요.

가을이 되자, 박이 주렁주렁 열려 놀부는 얼른 박을 탔어요.

"슬근슬근, 슬근슬근! 금은보화 잔뜩 나와 큰 부자 되어 보세!"

그때 박이 쩍 갈라지면서 도깨비가 나타나 놀부와 가족들을 방망이로 때렸어요.

"아이고, 아야! 나 죽네, 나 죽어!"

놀부는 하루아침에 거지 신세가 되었어요.

이 소식을 들은 흥부는 형 놀부의 가족을 자신의 집으로 데려와 극진히 모셨어요.

그 후 놀부는 잘못을 크게 뉘우치고, 흥부와 사이좋게 살았답니다.

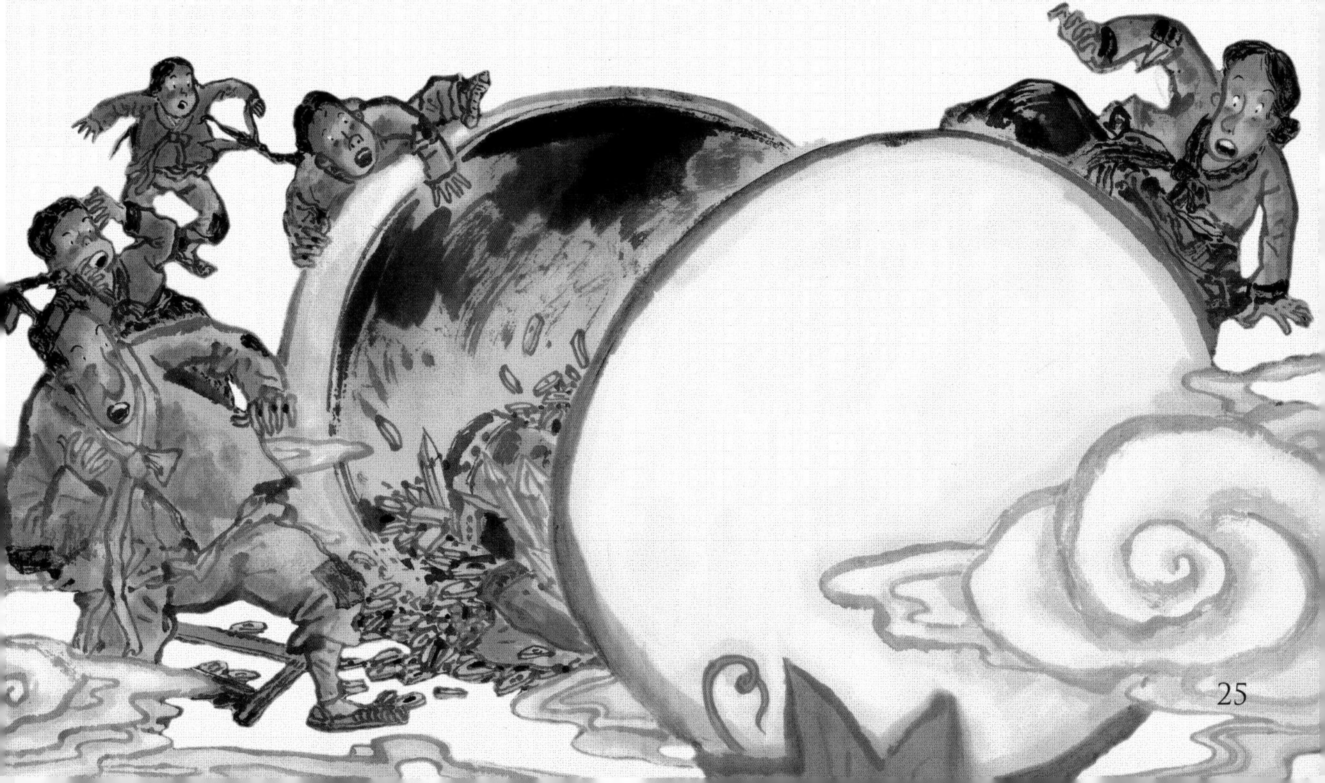

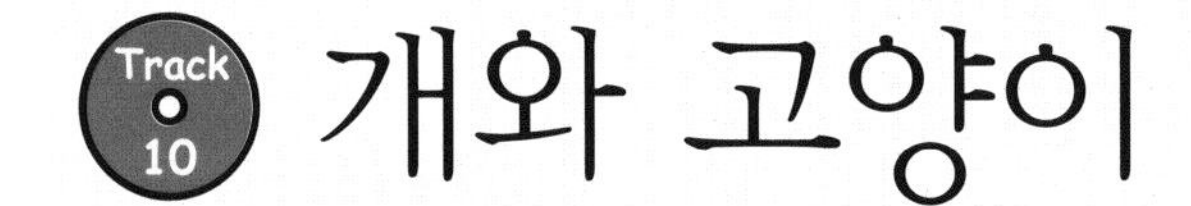

개와 고양이

어느 마을에 개와 고양이를 키우는 가난한 할머니가 살았지. 하루는 강에 나갔다가
어부에게 잡힌 불쌍한 자라를 보고, 돈을 털어 자라를 산 뒤 강에 놓아주었단다.
그러자 강에서 휘황찬란한 빛이 나더니, 한 아이가 나와 말했어.
"할머니, 저를 구해 주셨으니 귀한 구슬을 선물로 드리고자 합니다."
알고 보니, 놓아준 자라는 용왕님의 아들이었던 게야.
용왕님의 아들이 준 구슬은 뭐든지 뚝딱 나오는 요술 구슬이었단다.
요술 구슬 덕분에 할머니는 큰 부자가 되었지.
이 소식을 들은 이웃 마을 욕심쟁이 할머니는 부자가 된 할머니 집으로 가서
구슬을 좀 보여 달라고 졸랐지.
"아이고, 그 구슬 참 예쁘네요!"
욕심쟁이 할머니는 몰래 요술 구슬을 가짜 구슬과 바꾸고는 집으로 도망갔어.
요술 구슬이 없어지자, 할머니는 다시 예전처럼 가난해지고 말았단다.
"개야, 우리가 힘을 합쳐 구슬을 찾자!"
"그래, 고양이야. 우리가 할머니를 돕자!"
개가 고양이를 등에 업고 헤엄쳐서 강을 건너
욕심쟁이 할머니 집에 도착했어.

고양이는 헛간에 들어가
우두머리 쥐를 붙잡고는 말했지.
"이 집에 있는 구슬을 가져오지 않으면
모두 잡아먹을 테다!"
그러자 구석에서 쥐들이 몰려나와
할머니 집을 뒤져 구슬을 찾았단다.
고양이는 구슬을 입에 물고
개에게 업혀 다시 강을 건넜어.
"고양이야, 구슬 잘 물고 있니?"
개가 몸을 흔들며 묻자, 고양이는 떨어질까 겁나 얼른 대답했지.
"잘 물고 있어!"
그 바람에 입에 문 구슬이 그만 강에 풍덩 빠지고 말았단다!
개는 빈손으로 가 버리고, 고양이는 강가를 두리번거렸어.
그때 고양이 눈에 죽은 잉어가 보였어.
"마침 배도 고픈데, 잘됐다."
한입 꽉 물자, 잉어 배 속에서 구슬이 툭 튀어나왔지.
고양이는 얼른 구슬을 물고 가 할머니께 드렸단다.
할머니는 고마운 고양이를 집 안에서 길렀어.
그 뒤로 고양이는 집 안에, 개는 집 밖에서 살았단다.

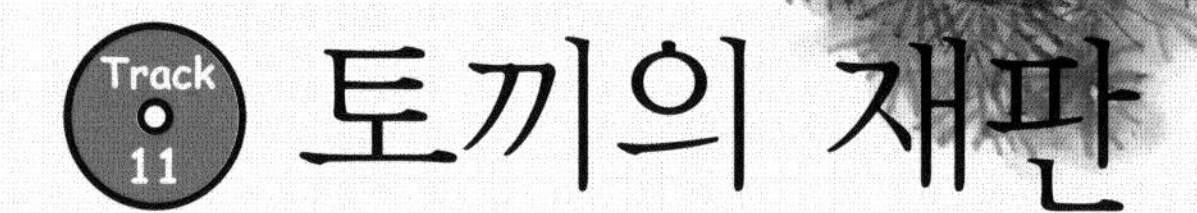

토끼의 재판

한 선비가 과거 시험을 보러 가는 길에
갑자기 비명 소리가 들려왔어요.
"아이고, 나 살려!"
소리 난 곳으로 가 보니, 호랑이가 깊은 구덩이에 빠져 허우적거리고 있었어요.
"여보시오, 제발 나 좀 꺼내 주시오! 은혜는 꼭 갚을 테니, 부디 살려 주시오!"
"꺼내 줄 테니 나를 잡아먹으면 안 되네!"
"예, 예! 물론이지요!"
선비가 호랑이를 밖으로 꺼내 주자, 갑자기 호랑이가 덤벼들어 잡아먹으려 했어요.
"아니, 약속을 해 놓고 이러는 법이 어디 있나?"
"허허, 약속은 무슨 약속? 이 몸이 배가 고파서 안 되겠는데?"
선비가 약속을 지키라고 계속 말하자, 호랑이는 길가에 있던 황소에게 물었어요.
"황소야, 이 선비가 약속을 지키란다. 넌 어떻게 생각하느냐?"
"음매! 흥, 사람은 우리 젖도 짜 가고, 우리를 죽여 고기를 먹으니 믿을 수 없어!"
선비는 기운이 쭉 빠져 주변을 둘러보다 소나무를 보고 말했어요.
"소나무야, 호랑이가 약속을 지키지 않으니, 잘못한 것 아니냐?"
"사람들은 우리를 잘라 집이랑 가구를 만들고 마구 괴롭히니 지키지 않아도 돼."

그때 토끼 한 마리가 깡충거리며 지나갔어요.

"거기! 잠깐 서 봐! 이 선비가 자기를 잡아먹지 말란다. 넌 어떻게 생각하느냐?"

토끼는 고개를 갸웃거리며 물었어요.

"이해가 잘 안 가네요. 호랑이님이 어떻게 있었다고요?"

"아이고, 몇 번을 얘기해?

그러니까 내가 여기에 쏙 들어가서……."

호랑이는 이렇게 말하고는 다시 구덩이 속으로 들어갔어요.

그러자 토끼가 싱긋 웃으며 선비에게 말했어요.

"선비님, 이제 가세요. 앞으로는 위험한 약속은 하지 마세요."

선비는 토끼에게 고맙다고 인사한 뒤 가던 길을 마저 갔답니다.

Track 12 빨간 부채 파란 부채

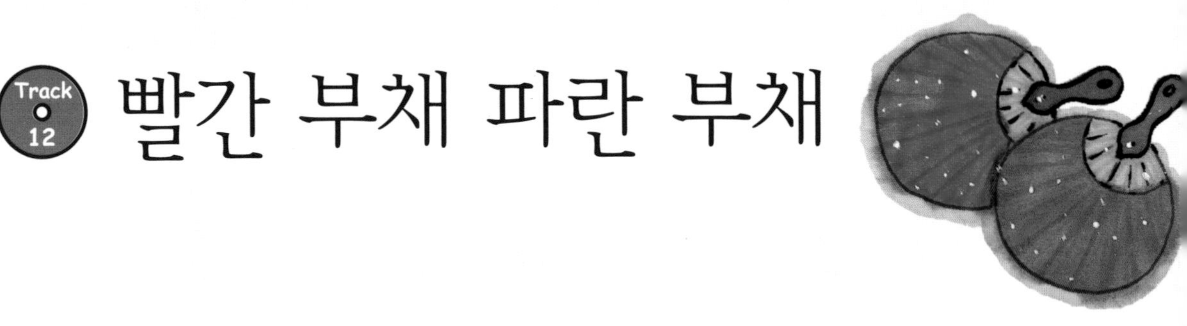

몹시 더운 여름날, 나무를 하던 할아버지가 잠시 쉬고 있었어요.

그런데 머리 위의 나뭇가지에 부채 두 개가 매달려 있는 것이에요.

"응, 웬 부채지? 마침 더운데 잘 되었군."

할아버지가 빨간 부채를 펼쳐 훨훨 부치자 갑자기 코가 쑥쑥 늘어났어요.

깜짝 놀란 할아버지가 파란 부채를 부치자, 신기하게도 코가 다시 줄어들었어요.

"허허! 이거 요술 부채로구나.
이 신기한 부채로 큰 부자가 될 수 없을까?"

그러던 어느 날, 할아버지는 부자 영감에게 슬쩍 다가가
빨간 부채를 부치며 말했어요.

"영감님, 날씨가 참 덥지요?"

그러자 부자 영감의 코는 점점 늘어났어요.

깜짝 놀란 영감은 의원을 불렀지만, 늘어난 코를 고칠 수 있는 의원은 없었어요.

"내 코를 고쳐 주는 사람에게 큰돈을 준다고 알려라!"

"영감님, 제가 영감님의 코를 고쳐 드리리다."

할아버지가 파란 부채를 꺼내 슬렁슬렁 부치자, 코가 원래대로 돌아갔어요.

큰돈을 받은 할아버지는 부자가 되어, 일도 하지 않고 빈둥거렸어요.

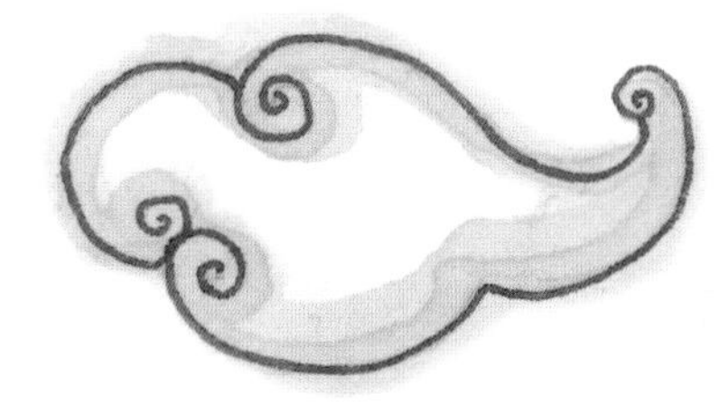

하루는 심심해진 할아버지가 엉뚱한 생각을 했어요.

"빨간 부채를 자꾸만 부치면 코가 얼마나 길어질까?"

할아버지가 계속 부채질을 하자, 코는 자꾸만 늘어나
하늘을 뚫고 올라갔어요.

하늘나라 임금님이 그 코를 보고는 화가 나서 선녀들에게 말했어요.

"감히 하늘을 뚫고 들어오다니! 저 버릇없는 코를 기둥에 묶어라!"

선녀들이 기둥에 코를 동여매자, 마루에 누워 있던 할아버지의 코가
아파 왔지요. 놀란 할아버지가 얼른 파란 부채를 부치자,
몸이 허공으로 둥실둥실 떠올랐어요.

할아버지가 발버둥을 치자, 기둥에 묶여 있던 코가 쑥 빠져서
할아버지는 그만 땅으로 떨어지고 말았답니다.

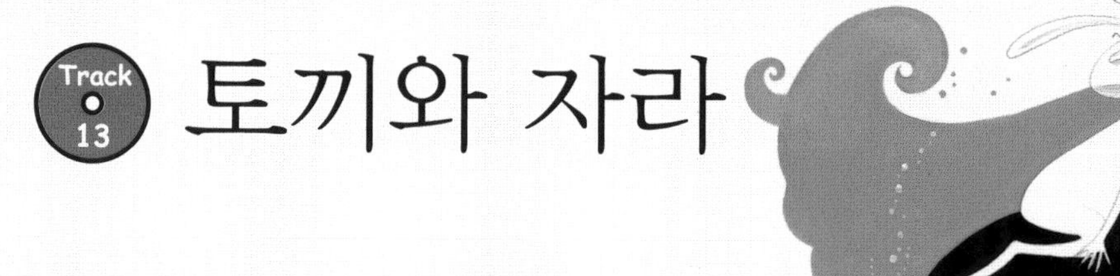

Track 13 토끼와 자라

깊은 바닷속 물고기들이 사는 용궁의 임금님께서 큰 병에 걸리셨어요.

"흠, 육지에 사는 토끼의 간을 드시면 회복되실지도 모르겠소이다."

의원의 말에 물고기 대신들 사이에 긴급회의가 열렸어요.

"누가 다녀오는 것이 좋겠소이까?"

"제가 땅 위에서도 돌아다닐 수 있으니 다녀오겠어요."

씩씩하게 대답한 자라는 토끼 그림을 들고 땅 위로 올라왔어요.

때마침 저쪽에서 누군가가 깡충깡충 뛰어왔어요.

"어? 그림이랑 똑같이 귀가 길쭉하네? 야호! 토끼를 찾았구나!"

자라는 무척 기뻐하며 토끼에게 다가갔어요.

"토끼님, 저는 용궁에서 온 자라예요. 우리 용궁은 으리으리하고,
맛있는 먹을 것도 많답니다. 토끼님도 함께 구경 가지 않겠어요?"

"와, 정말 그런 곳이 있나요?"

토끼는 자라의 등을 타고 용궁에 갔어요.

용궁에 도착하자마자 물고기 군사들이 토끼를 묶어 용왕님 앞으로 데려갔어요.

토끼는 그제야 자라에게 속은 것을 알았지만, 이미 늦은 일이었어요.

"내 너의 간을 먹어야 산다 하니, 너는 영광으로 알고 간을 내놓거라."

"용왕님. 제 간은 소중한 약이라, 화창한 날은 빼서 바위에 말립니다.
지금도 간을 바위 위에 두고 왔으니, 얼른 가서 가져올까 합니다."

"세상에 간을 빼놓고 다니는 동물이 어디 있느냐?"

"믿지 못하시면 제 배를 갈라 확인해 보세요! 제가 죽으면 간은 못 찾을 것입니다."

그러자 다급해진 용왕님은 당장 자라를 불러 말했어요.

"얼른 토끼를 데리고 가서 간을 찾아오너라."

토끼와 자라가 다시 땅으로 나오자, 토끼가 숲 속으로 뛰어가며 말했어요.

"이 미련한 자라야, 간을 빼놓는 동물이 어디 있니? 너희는 내게 속았어. 하하하!"

자라는 저 멀리 뛰어가는 토끼를 바라볼 수밖에 없었답니다.

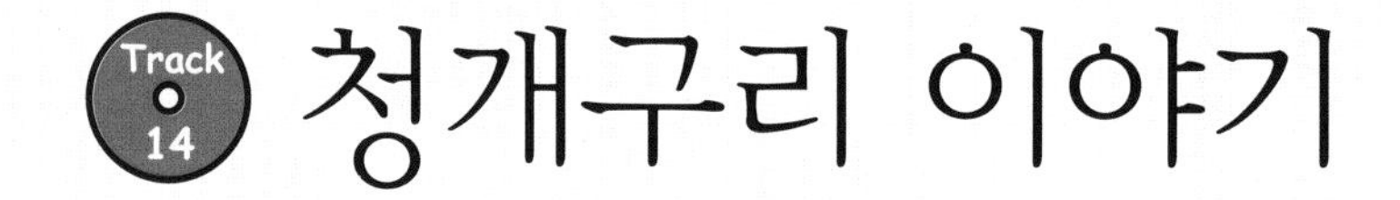

청개구리 이야기

옛날에 엄마 말을 안 듣는 청개구리가 살았지.

엄마가 손을 들라면 발을 들고, 발을 들라면 손을 드는 아주 말썽쟁이였단다.

“아이고, 이 녀석아! 제발 엄마 말 좀 잘 들어라.”

“히히! 재미있다! 엄마가 또 속았네!”

어느 날부터 청개구리 엄마는 병을 얻어 시름시름 앓기 시작했지.

“얘야, 엄마가 죽게 되면 개울가에 묻어 주렴.”

아들이 반대로만 행동하니, 엄마는 일부러 반대로 이야기한 것이었단다.

그러나 엄마가 돌아가시자, 잘못을 깊이 뉘우친 아들 청개구리는 엄마의 소원대로

엄마를 개울가에 묻어 주었어. 그래서 비 오는 날이면 아들 청개구리는

엄마 무덤이 떠내려갈까 봐 개굴개굴 운단다.

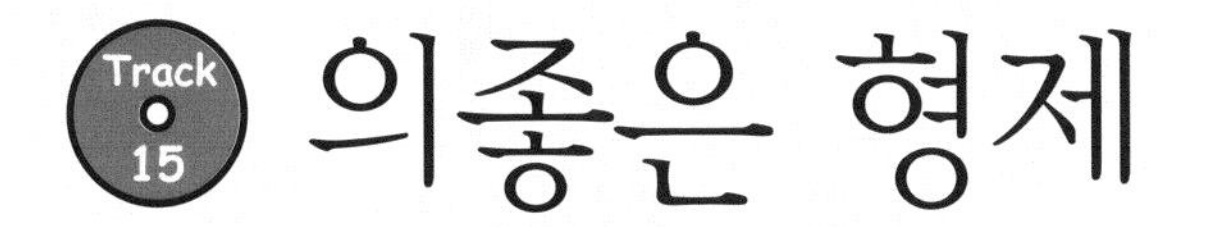

의좋은 형제

어느 마을에 의좋은 형과 동생이 살았어요. 형과 동생은
결혼을 하고 따로 살림을 차리게 되었지만, 서로 도와가며 농사를 지었어요.
어느덧 가을이 되어 추수를 하게 되었는데, 그날 저녁 형은 이런 생각이 들었어요.
'동생은 결혼한 지 얼마 안 된 새살림이라 돈이 많이 필요할 거야.'
그래서 어두운 밤에 볏단을 지고 몰래 동생 집으로 갔어요.
'형님이 우리보다 식구가 많으니 돈이 더 많이 필요할 거야.'
동생 역시 이런 생각에 볏단을 지고 형님 집으로 향했어요.
그러던 어느 날 밤, 볏단을 옮기던 형제는 논 한가운데서 딱 마주치고 말았어요.
"아니, 형님!"
"동생아!"
의좋은 형과 동생은 논바닥에 주저앉아
서로를 부둥켜안고
껄껄 웃었답니다.

요술 맷돌

옛날, 어느 마을에 가난하지만 착한 농부와 욕심쟁이 부자 영감이 살았어요.

어느 날, 한 거지 노인이 으리으리한 부자 영감의 집으로 밥을 얻어먹으러 갔어요.

"흥, 댁한테 줄 밥 없으니, 딴 데 가서 알아봐!"

쫓겨난 거지 노인은 착한 농부의 집 근처에서 그만 쓰러지고 말았어요.

"아니, 여보시오! 일어나 보시오!"

거지 노인을 발견한 착한 농부는 황급히 집에 데려다 눕히고는

없는 양식을 모두 털어서 죽을 만들어 노인에게 먹였어요.

"정말 고맙소. 가진 것이 없으니, 이 맷돌이라도 받으시오."

거지 노인은 맷돌을 주고 바로 떠났어요.

하는 수 없이 착한 농부는 맷돌을 쓱쓱 돌리며 말했어요.

"쌀이나 펑펑 쏟아졌으면 좋겠네."

그러자 맷돌에서 쌀이 스르륵스르륵 나오기 시작했어요.

"아니, 이게 웬 쌀이야! 어허! 이게 꿈이야, 생시야!"

거지 노인이 준 요술 맷돌 덕분에 착한 농부는 큰 부자가 되었어요.

한편 이 소식을 들은 부자 영감은 요술 맷돌을 갖고 싶어 착한 농부의 집에 갔어요.

부자 영감은 요술 맷돌을 보자마자 몰래 들고 나와 배를 타고 멀리 도망갔어요.

어느덧 큰 바다까지 나오게 된 부자 영감은 요술 맷돌을 시험하고 싶어졌어요.

"어디 한번 돌려 볼까? 옳지! 소금이 귀하니, 소금을 달라고 해야겠다.
소금 나와라!"

부자 영감이 맷돌을 쓱쓱 돌리자, 하얀 소금이 나왔어요.

"으하하! 나는 이제 부자가 되었구나! 하하하!"

맷돌을 계속 돌리자 소금이 가득 차서, 배가 조금씩 가라앉았어요.

"아니, 맷돌을 어떻게 멈추지? 으악, 사람 살려!"

결국 부자 영감은 맷돌과 함께 물에 빠졌어요.

지금도 바닷속에서 맷돌이 계속 돌아
바닷물이 짠 것이랍니다.

뭐지?

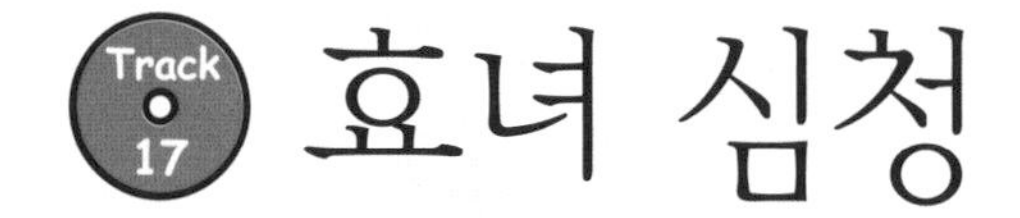

효녀 심청

어느 마을에 어머니를 일찍 여읜 심청이 눈이 안 보이는 아버지와 살고 있었어요.
하루는 심청의 아버지가 다리를 건너다 발을 헛디뎌 그만 물에 빠지고 말았어요.
"어푸어푸! 사람 살려!"
그때 지나가던 스님이 심청의 아버지를 구해 주고는 안타까운 듯 말했어요.
"허허, 우리 절에 공양미 삼백 석을 시주하면 눈이 뜨일 텐데……."
심청은 저녁 식사를 준비하다가 아버지의 푸념을 들었어요.
"에고, 공양미 삼백 석이면 눈이 낫는다니……. 이 눈만 보이면 얼마나 좋겠누."
어느 날, 마을에 뱃사람들이 들어와 처녀를 구한다고 했어요. 큰 배가 풍랑을 피하기 위해 처녀를 제물로 바친다는 것이에요. 심청은 쌀 삼백 석을 받고 제물이 되기로 했어요.
"아버지, 제가 공양미를 시주했습니다.
저는 잊으시고, 눈을 떠
편안하게 사세요."

심청은 울며 집을 뛰쳐나왔어요.

다음 날, 심청은 배에 올라 파도가 심해지자 울면서 배에서 뛰어내렸어요.

깊은 바닷속 용궁에서 심청은 눈을 떴어요. 그리고 돌아가신 어머니를 만났어요.

"청아, 착하고 어여쁘게 자랐구나. 아직은 올 때가 아니니, 다시 돌아가렴."

심청은 커다란 연꽃 속에 들어가 바다 위로 올라왔어요.

마침 배를 타고 지나던 사람이 연꽃을 건져서 임금님께 바쳤어요.

임금님은 연꽃 속의 어여쁜 심청을 아내로 맞았어요.

왕비가 된 심청은 눈이 안 보이는 사람들을 불러 큰 잔치를 벌였어요.

못된 아내를 새로 만나 재물을 잃고 눈도 안 보이는 심청의 아버지는

잔치 소식을 듣고 찾아왔어요.

심청은 초라한 모습의 아버지에게 다가가 말했어요.

"아버지, 저 청이에요."

"아니, 내 딸 청이 목소리 아닌가? 응?"

애타게 그리던 딸의 목소리를 듣고 심청의 아버지는 눈을 번쩍 떴어요.

"이럴 수가! 보인다, 내 눈이 보여!"

심청은 눈을 뜬 아버지를 모시고, 오래오래 행복하게 살았답니다.

Track 18

소가 된 게으름뱅이

옛날에 일도 잘 하지 않는, 무척 게으른 청년이 살았어요.

하루는 밭으로 가던 청년의 눈에 저 멀리 낡은 초가집 한 채가 보였어요.

"옳거니! 저기서 낮잠 한숨 자고 가야겠다!"

청년이 초가집 안에 들어가니, 한 할아버지가 소머리 탈을 만들고 있었어요.

"영감님, 그게 무엇입니까?"

"음, 이것은 게으른 사람들을 위한 탈이라네.
이 탈을 쓰면 일을 하지 않아도 편안히 살 수 있지."

청년은 소머리 탈이 무척 갖고 싶어 할아버지를 졸라 탈을 머리에 썼지요.

그러자 갑자기 청년의 몸이 소로 변하는 것이었어요.

"음매! 음매!"

'아니, 이게 웬일인가! 내가 왜 소가 되었지?'

할아버지는 껄껄 웃으며 이랴, 이랴 소를 몰고 밖으로 나섰어요.

청년은 어쩔 수 없이 할아버지에게 끌려갔어요.

할아버지는 마침 지나가는 농부에게 소를 팔고 이것저것 이야기해 주었어요.

"이 소가 혹시 게으름을 피우거든 세게 때리시오.
그리고 무는 절대 먹이지 마시오. 이 소는 무를 먹으면 죽는다오."

농부는 소를 끌고는 밭으로 가 힘든 일을 시켰어요.

'아, 다시 사람으로 되돌아간다면, 정말 부지런하게 살 텐데…….'

하루는 무밭 근처에서 김을 매는데, 지쳐 있던 청년의 눈에 무가 보였어요.

'그래, 차라리 저 무를 먹고 힘든 생활을 끝내야겠다.'

소가 된 청년은 무밭으로 가 무를 우두둑 씹어 먹었어요.

그때였어요. 갑자기 청년의 몸이 다시 사람으로 변하는 것이 아니겠어요?

"아, 내가 다시 사람이 되다니!"

청년은 놀란 농부에게 지금까지의 일을 설명해 주고, 집으로 돌아왔어요.

그 후로 청년은 부지런하게 일하며 열심히 살았답니다.

토끼와 호랑이

어느 날 호랑이가 토끼를 잡아먹으려고 하자, 꾀 많은 토끼가 말했어요.

"저만 드시면 배부르지 않으니, 따끈따끈 구운 떡을 먼저 드실래요?"

호랑이가 군침을 꿀꺽 삼키고는 토끼를 따라갔더니, 불에 구워진 떡이 있었어요.

토끼는 떡에 발라 먹을 꿀을 얻으러 간다고 말하고는 사라졌어요.

호랑이는 몰래 하나만 먹어야지 생각하고는 구운 떡을 집어 먹었어요.

"아이고, 이빨아! 앗, 뜨거워! 아이고! 아파라!"

떡은 사실 뜨거운 돌멩이였어요. 호랑이는 입도 데고, 이빨도 우두둑 빠졌지요.

화가 난 호랑이 앞에 토끼가 또 나타났어요.

"네 이놈, 잘 만났다!"

"호랑이님, 맛난 참새구이 좀 드시겠어요? 제가 저기서
참새를 몰아올 테니, 호랑이님은 입만 벌리고 계시면 돼요."

호랑이는 맛있는 참새를 한꺼번에 먹을 생각에 기분이 무척 좋아졌어요.

조금 있으니 저 멀리서 참새들이 파닥파닥 날아와, 호랑이는 입을 한껏 벌렸어요.

"앗, 뜨거! 앗, 뜨거워! 호랑이 살려!"

참새인 줄 알았던 것은 불붙은 나뭇잎이었어요.

며칠이 지나 호랑이의 눈앞에 다시 토끼가 보였어요.

"호랑이님, 이번에는 팔딱팔딱 싱싱하고
맛있는 물고기를 준비했어요."

"흠, 이번에는 틀림없겠지?"

"그럼요. 여기 꼬리를 넣으면 물고기가 모여들지요. 그때 휙 낚으면 됩니다."

토끼는 꽁꽁 언 강에 호랑이 꼬리를 넣고, 잠시 기다리라고 하고는 도망갔어요.

뭔가 묵직한 느낌이 들어 호랑이는 씨익 웃으며 꼬리를 들었어요.

"아니, 꼬리가 왜 안 움직이지?"

이런, 강이 꽁꽁 얼어 호랑이 꼬리도 꼭 붙어 버린 거예요.

결국 호랑이는 꽁꽁 언 강에서 한 발짝도 움직이지 못하고 말았답니다.

Track 20 혹부리 할아버지

옛날 어느 마을에 턱 밑에 커다란 혹이 달린 혹부리 할아버지가 살았어요.
할아버지는 가난했지만, 마음씨가 착하고 노래를 잘 불렀어요.
하루는 나무를 하다 날이 어두워져 집에 가려는데, 후두두 빗방울이 떨어졌어요.
할아버지는 허름한 집 한 채를 발견하고는 들어가 노래를 부르기 시작했어요.
"얼씨구나, 절씨구나! 어허! 좋다!"
이때 노랫소리를 들은 도깨비들이 집 안으로 들어왔어요.
"거 영감, 노랫소리 한번 듣기 좋소."

도깨비들은 웃으며 할아버지에게
어떻게 하면 노래를 잘 부르는지 물었어요.
혹부리 할아버지는 도깨비들이 무서워
온몸이 벌벌 떨렸지만 능청스럽게 혹을 만지며 말했어요.
"내 노랫소리야 이 혹에서 나오지!"
그러자 도깨비들은 혹을 톡 쳐서 뚝 떼고는 도깨비 방망이를 선물로 주었어요.
혹부리 할아버지는 혹도 떼고 도깨비 방망이도 얻어 큰 부자가 되었어요.
한편 이 소식을 들은 이웃 마을의 욕심쟁이 혹부리 할아버지는 냉큼
허름한 집으로 달려가 노래를 불렀어요.
"얼씨구, 절씨구, 에헤야!"
"영감, 또 오셨네!"
"아, 도깨비들인가? 내 노랫소리 어떤가? 이 혹에서 나온다네."
"그 형편없는 노래 실력으로 무슨! 지난번에 준 혹도 가짜더니,
어딜 속이려고? 이 혹도 마저 가져가슈!"
도깨비들은 혹부리 할아버지의 턱에 혹을 하나 더 붙여 주었어요.
욕심쟁이 할아버지는 혹 떼러 갔다가 혹이 하나 더 늘어서 집으로 돌아왔답니다.

Track 21 자린고비 이야기

어느 마을에 구두쇠로 소문난 자린고비 영감이 살았어요.

하루는 며느리가 생선 가게에서 생선을 만지다 와서

손 씻은 물로 찌개를 끓였어요.

"아가야, 씀씀이가 그렇게 헤퍼서야 어디 쓰겠느냐?"

"아버님, 제가 무슨 잘못을 했는지요?"

"네가 그 손을 우물에 씻었으면 온 마을 사람들이 공짜로 생선찌개를

먹을 수 있지 않았겠느냐?"

한번은 자린고비 영감이 장에 가서 굴비를 한 마리 사 와 천장에 매달았어요.

그러고는 굴비 한 번 보고 맨밥 한 술 뜨고,

또 한 번 보고 또 한 술을 떠먹는 것이에요.

"어우, 짜다! 두 번은 못 쳐다보겠네!"

자린고비 영감은 이렇게 절약해서 모은 재산을

가난한 사람들에게 나눠 주었답니다.

Track 22 떡시루 잡기

옛날 옛적에 호랑이와 두꺼비가 시루떡을 만들어 먹기로 했어.
떡시루에서 김이 모락모락 피어오르고 맛있는 냄새가 나자,
호랑이는 혼자서 떡을 다 먹고 싶어 한 가지 꾀를 냈지.
"두꺼비야, 떡시루 잡기 시합할래? 먼저 잡으면 다 먹기!"
호랑이는 산꼭대기에서 떡시루를 아래로 굴리고는 빠르게 뛰어 내려갔지.
그런데 떡시루가 덜컹덜컹 굴러가면서 떡이 조금씩 밖으로 튀어나왔단다.
"히히, 떡이 다 떨어지네? 냠냠, 아이고 맛있다!"
두꺼비는 떨어진 떡을 주워 맛있게 먹으면서 내려갔지. 한참 후에
산 아래에서 떡시루를 잡은 호랑이는 안이 텅 빈 것을 보고 씩씩거렸어.
그때 두꺼비가 부른 배를 내밀고 나타나 먹던 떡을 호랑이에게 내밀었지.
"흥! 너나 실컷 다 먹어!"
호랑이는 잔뜩 화가 나 남은 떡고물을 두꺼비 등에 딱 붙여 버렸단다.
그때부터 두꺼비 등이 울퉁불퉁하게 되었다는 이야기지.

Track 23 견우와 직녀

하늘나라 임금님의 예쁜 딸 직녀는 베 짜는 일을 아주 잘했어요.
하루는 직녀가 동물들과 함께 들판에 놀러 나갔다가 늠름한 청년을 보게 되었어요.
그 청년의 이름은 견우로, 소를 치는 목동이었어요.
견우와 직녀는 서로 사랑하게 되어 함께 놀러 다니느라 일을 게을리하였어요.
이 소식을 들은 하늘나라 임금님은 매우 화가 나 소리쳤어요.
"견우와 직녀를 당장 내쫓아라!"
견우와 직녀는 동과 서로 갈라져 헤어지게 되었어요. 임금님은 일 년 중 단 하루,
칠월 칠석에 두 사람을 만나게 했지만, 사이에 큰 강이 있어 건널 수가 없었어요.
"견우님, 보고 싶어요."
"직녀님! 저도 무척 보고 싶어요!"
해마다 칠월 칠석이면 두 사람의 눈물 때문에 큰 비가 내려 피해가 커지자,
동물들이 모여 회의를 했어요.
"우리 까치와 까마귀들이
하늘에 다리를 놓으면
어때요?"

드디어 칠월 칠석, 견우와 직녀는 모여든 까치와 까마귀를 보고 깜짝 놀랐어요.

"견우님, 직녀님! 저희가 다리를 만들 테니, 어서 만나세요!"

견우와 직녀는 까치와 까마귀로 만들어진 다리 위로 얼른 달려가 부둥켜안았어요.

그 후 칠월 칠석에는 보슬비만 내렸어요. 어렵게 만난 두 사람이 흘리는 기쁨의 눈물이랍니다.

Track 24

은혜 갚은 호랑이

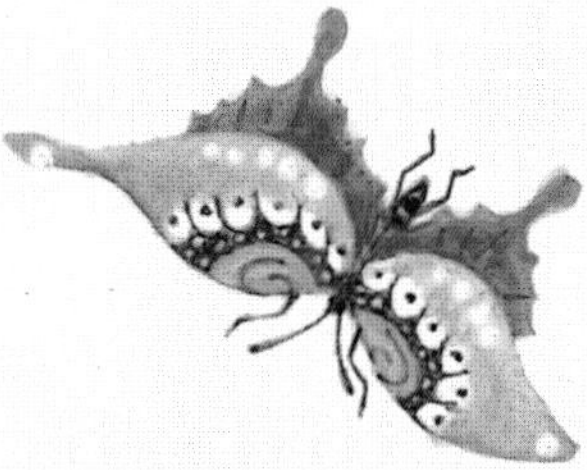

어느 마을에 가난하지만 부지런하고 인정 많은 총각이 살았어요.

하루는 총각이 산에서 나무를 하고 있는데, 큰 호랑이가 목에 가시가 박혀 꺽꺽거리고 있었어요.

"내 목에 가시 좀 빼 주오. 제발 부탁이오. 캑캑!"

총각은 가시를 빼 주었고, 호랑이는 큰절을 한 번 하고 뒤돌아 갔어요.

다음 날 아침, 집 앞에 땔감이 산더미처럼 쌓여 있었어요.

총각은 호랑이 발자국을 보고는 호랑이가 다녀간 것을 알았어요.

하루는 어머니가 혼잣말로 아들 걱정을 했어요.

"혼기가 지났는데, 장가를 못 가 어쩌누?"

그날 밤, 호랑이는 몰래
예쁜 처녀를 총각 집에 두고 갔어요.
호랑이 덕분에 총각은
부자가 되고, 색시까지 얻었답니다.
하루는 마을에 방이 붙었어요. 호랑이가 마을로 내려와
사람을 해치니, 호랑이를 잡는 사람에게 큰 상금을 준다는 내용이었어요.
그날 밤, 호랑이가 총각의 집에 찾아와 말했어요.
"나를 화살로 쏘아 상금을 받으시오. 구해 준 덕에 오래 살 수 있었소."
"여태까지 해 준 것도 많은데, 그게 무슨 말이오? 안 들은 것으로 하겠소."
다음 날, 마을에 호랑이가 내려왔다는 이야기를 들은 총각은 놀라 달려갔어요.
호랑이는 총각 주변을 어슬렁거리며 눈짓했어요.
'나를 어서 쏘시오! 다른 이가 쏘기 전에!'
총각은 비껴가도록 활을 쏘았지만, 이미 알아챈 호랑이는 일부러 화살에 맞았어요.
"와! 호랑이가 죽었다!"
모두들 기뻐했지만, 총각은 호랑이가 자신 때문에 죽은 것 같아 마음이 아팠어요.
총각은 은혜 갚은 호랑이를 양지바른 곳에 고이 묻어 주었답니다.

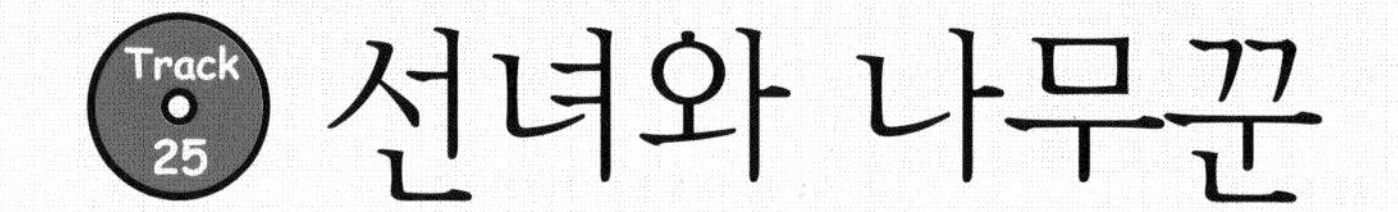

선녀와 나무꾼

마음씨 착한 나무꾼이 산에서 나무를 하다가, 사냥꾼에게 쫓기던 사슴을 몰래 숨겨 주었어요. 그러자 사슴은 그 보답으로 나무꾼을 데리고 작은 연못이 있는 곳으로 가서 말했어요.

"이곳은 선녀들이 목욕하는 곳입니다. 날개옷을 하나 숨기면 선녀와 결혼할 수 있어요. 단, 아이 넷을 낳을 때까지 옷을 주지 마세요."

날이 어두워지자, 나무꾼은 몰래 연못 근처로 갔어요.

아름다운 선녀들이 목욕을 하고 있었는데, 바위틈에 날개옷이 보였어요.

'옳지! 저 옷들 중에 하나를 숨겨야겠다!'

선녀들이 목욕을 마치고 옷을 입는데, 가장 예쁜 선녀의 옷이 없었어요.

결국 하늘로 올라가지 못한 선녀는 나무꾼의 집으로 가 살게 되었어요.

아이 셋을 낳은 후 어느 날, 선녀가 슬픈 얼굴로 나무꾼에게 말했어요.

"제 날개옷을 한 번만이라도 입어 보고 싶어요."

마음이 흔들린 나무꾼은 그만 날개옷을 꺼내 주었어요.

날개옷을 입은 선녀는 아이 둘을 안고, 하나는 업은 채 하늘로 올라가 버렸어요.

나무꾼은 사슴을 찾아가 도움을 청했어요.

"선녀들이 이제는 두레박으로 물을 퍼 가니, 두레박 안에 숨어 있다가
하늘로 올라가면 선녀를 만날 수 있습니다."

사슴의 말대로 두레박을 타고 하늘로 올라간 나무꾼은 선녀와 아이들을 만나
무척 행복했답니다. 그러나 나무꾼이 홀로 계신 어머니를 걱정하자 선녀가
어머니를 뵙고 올 수 있는 방법을 알려 주었어요.

"하늘을 나는 말을 타고 인간 세상에 잠시 다녀오세요. 하지만 말이
땅에 닿으면 다시는 하늘로 올라올 수 없으니, 명심하셔야 해요."

나무꾼이 말을 타고 집으로 가자, 어머니는 맨발로 뛰어나와 아들을 반겼어요.

나무꾼은 어머니가 끓여 온 호박죽을 먹다가 그만 뜨거운 죽을 말 등에 흘렸어요.

말이 히힝 놀라 움직이는 바람에 나무꾼은 땅에 떨어지고 말았지요.

말은 그대로 하늘로 올라가 버렸고, 나무꾼은 다시는 하늘로 올라가지 못했답니다.

삼년고개

깊은 산골 마을에 '삼년고개' 라는 언덕이 하나 있었어.
이 언덕에서 구르면 삼 년밖에 못 산다고 해서 붙은 이름이란다.
그러던 어느 날, 한 할아버지가 그만 발을 헛디뎌서 삼년고개에서
넘어지고 말았어.

"아이고, 앞으로 삼 년밖에 못 산다니……. 아이고!"
이 소식을 들은 이웃집 꼬마가 할아버지를 찾아와 말했어.
"할아버지, 삼년고개에서 한 번 넘어지면 삼 년 살지요?
두 번 넘어지면 육 년, 세 번이면 구 년, 계속 넘어질수록
더 오래오래 살지 않겠어요?"
그 말을 들은 할아버지는 얼른 삼년고개에 올라 구르고, 구르고, 또 굴렀어.
삼년고개에서 떼굴떼굴 구른 할아버지는 그 후로 오랫동안 살았단다.

송아지와 바꾼 무

어느 마을에 착하고 부지런한 농부가 살았어요.
그해 무 농사가 퍽 잘되어 농부는 커다란 무를 잘 싸서
원님 앞에 들고 가 말했어요.
“사또, 올해 무 농사가 아주 잘되어 가장 커다란 무를 사또께 바칠까 합니다.”
“그 정성이 갸륵하구나. 여봐라, 어제 들어온 송아지를 이 농부에게 주어라.”
이 소식을 들은 이웃 마을 욕심쟁이 농부는 샘이 났어요.
“아이고, 배야! 옳거니, 나는 더 큰 걸 바쳐 더 좋은 것을 받아야지!”
욕심쟁이 농부는 집에서 키우던 송아지를 끌고 원님을 찾아갔어요.
“정성껏 키운 송아지를 사또께 바칩니다.”
“고맙구나. 어제 받은 무를 상으로 주마.”
욕심쟁이 농부는 귀한 송아지를
바치고 커다란 무를 받아
울며 돌아갔답니다.

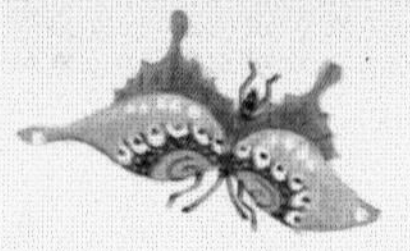

부모님께

지혜와 재치 나와라 뚝딱!

황소영(유아교육학 박사)

전래동화는 옛날부터 전해 내려온 이야기를 말해요. 우리 고유의 정서와 지혜가 담겨 있기 때문에 아이의 감성 발달에 효과적이지요. 전래동화는 이야기의 구성이 탄탄하고 주제가 분명하므로 아이가 쉽게 이해하고 재미를 느낄 수 있습니다. 또한 반복적인 운율과 풍부한 어휘는 언어 발달에 도움을 주고, 환상의 세계를 넘나드는 이야기는 아이의 상상력을 키워줍니다.

전래동화의 재미있는 표현들은 아이의 언어 발달을 도와줍니다. 말을 배우기 시작하는 아이에게 전래동화를 들려주세요. 다른 사람의 말을 주의 깊게 듣는 태도가 길러지고, 다양한 어휘들을 배울 수 있지요. 방귀 대장의 우렁찬 방귀 소리를 표현한 '뿌붕뿡!', 흥부 가족이 신나게 박타는 모습을 표현한 '슬근슬근'과 같은 의성어와 의태어에 호기심을 갖고 집중하게 되며 자연스럽게 따라 하게 된답니다.

전래동화는 아이의 감성을 발달시켜 줍니다. 유아들은 전래동화를 들으면서 자기도 모르게 호랑이를 물리친 꾀 많은 토끼가 되어 기뻐했다가, 선녀와 헤어진 나무꾼이 되어 슬퍼하기도 하면서, 감성이 풍부하고 정감이 넘치는 아이로 성장하지요. 번뜩이는 재치와 지혜로 자신의 간을 지킨 토끼의 이야기는 정서 발달과 함께 아이의 사고력과 창의력도 키워줍니다.

다양한 인물이 등장하는 이야기는 아이의 사회성을 키워 줍니다. 게으름을 피우다가 소가 된 청년의 이야기는 부지런함을, 힘을 모아 호랑이를 쫓아낸 팥죽 할머니의 친구들 이야기는 협동심을 길러줍니다. 전래동화를 통해 자연스럽게 주변 세계를 인식하게 되고, 다른 사람을 배려하는 착한 마음과 바른 생각을 갖게 되지요.